LA VIE SOUS-MARINE

Les Mers froides

Sally Morgan

Hurtubise

Hurtubise

Les Mers froides
Titre original de cet ouvrage :
Orcas and other Cold-ocean Life
Édition originale publiée en Grande-Bretagne
en 2008
par QED Publishing
A Quarto Group company
226 City Road
Londres EC1V 2TT

Les Éditions Hurtubise bénéficient du soutien financier des institutions suivantes pour leurs activités d'édition :
- Gouvernement du Canada par l'entremise du Programme d'aide au développement de l'industrie de l'édition (PADIÉ),
- Gouvernement du Québec par l'entremise du programme de crédit d'impôt pour l'édition de livres.

Auteur : Sally Morgan
Édition : Steve Evans
Traduction : Laurent Chabin
Conception : Calcium
Direction artistique : Zeta Davies
Mise en pages : Nathalie Tassé

ISBN : 978-2-89647-299-4

Dépôt légal : 4e trimestre 2010
Bibliothèque et Archives nationales du Québec
Bibliothèque et Archives du Canada

Diffusion-distribution au Canada :
Distribution HMH
1815, avenue De Lorimier
Montréal (Québec) H2K 3W6 Canada
Téléphone : 514 523-1523
Télécopieur : 514 523-9969
www.distributionhmh.com

Crédits photographiques
H - haut, B - bas, M - milieu, G - gauche, D - droite, C - couverture, DC - dos de couverture

Corbis Amos Nachum 13 B, Brandon Cole C, 1, 6-7, Paul A
Souders 10 B, Stuart Wesmorland 21 B, Theo Allofs 7 B
Dreamstime 18 G, 18 D, 19 BG, 19 H
Getty Images Aurora/Sean Davey 14 B
iStockphoto 7 H, 8, 9 H, 12 G
Photolibrary Duncan Murrell 10-11, Herb Segars 19 BD, James Watt 8-9, 10 H, 20-21, Mark Stouffer 15 D, Harold Taylor 5, Oxford Scientific/Richard Herrmann 3, 14-15, 16-17, 16 G, 17 B, Rodger Jackman 12-13
Shutterstock 2-3, 4-5, 4 G, 4 D, 22-23, 24

Les mots en caractères **gras** sont expliqués dans le glossaire à la page 22.

Imprimé et relié en Chine
www.editionshurtubise.com

Table des matières

Les mers froides

Les océans sont vastes ! Ils couvrent près des deux tiers de la surface de la Terre. Ils sont profonds, aussi. En certains endroits, ils atteignent une profondeur de 11 000 m.

Les océans recouvrent la plus grande partie de la surface du globe.

Tout au fond de l'océan, l'eau est sombre et froide. Près de la surface, là où la plupart des animaux vivent, elle est plus chaude, car elle est réchauffée par les rayons du soleil.

Les manchots du Cap pêchent dans les eaux froides de l'océan Atlantique.

Des animaux de toutes formes et de toutes tailles vivent dans les eaux salines. L'énorme baleine bleue y côtoie des créatures **microscopiques** qu'on appelle le **plancton**. Tous les animaux marins sont adaptés à la vie dans l'eau.

Le plancton est si petit qu'il doit être grossi au microscope pour être vu.

Il existe encore de nombreux animaux étranges à découvrir dans les profondeurs marines.

Les épaulards

L'épaulard, aussi appelé orque ou baleine tueuse, est en fait apparenté au dauphin. C'est un des plus rapides prédateurs de l'océan. Il est facile à reconnaître grâce à ses motifs blancs et noirs.

L'épaulard jaillit entièrement hors de l'eau, puis il y replonge.

Certains épaulards demeurent dans le même groupe toute leur vie.

Les épaulards vivent en groupes d'une trentaine d'individus. Chaque groupe a son propre langage. Comme ils se «parlent» presque tout le temps, la vie de la troupe peut être très bruyante!

Les épaulards vont même jusqu'à la plage pour attraper un phoque.

Les dauphins

En plus d'être intelligents, les dauphins sont **acrobates**. Leur corps lustré glisse facilement dans l'eau, et on les voit souvent s'amuser à bondir ou à nager près des bateaux.

Les dauphins peuvent sauter très haut, se retourner en l'air et exécuter des sauts périlleux.

Les dauphins émettent des couinements et des sifflements. Ces sons se propagent dans l'eau et se répercutent sur d'autres animaux, ce qui crée un **écho**. Les dauphins peuvent ainsi localiser leurs **proies**.

Les baleines à bosse

Le baleineau naît sous l'eau. Sa mère le pousse ensuite vers la surface pour qu'il puisse respirer.

La baleine à bosse est une géante des mers. Cet animal énorme et lourd est aussi un puissant nageur, un chanteur et un acrobate !

Les baleines à bosse jaillissent des eaux et exécutent dans les airs des pirouettes et des sauts prodigieux.

Les baleines à bosse communiquent entre elles par le chant. Chacune a son propre chant, composé de bruits secs et de sifflements.

La baleine à bosse se nourrit de plancton. En ouvrant la gueule, elle avale de grandes quantités d'eau contenant des kilos d'animaux et de plantes minuscules.

Les requins-baleines

Les requins-baleines sont les plus grands poissons des mers. Certains ont la taille d'un autobus et pèsent jusqu'à 15 000 kg.

Le requin-baleine se nourrit en nageant la bouche grande ouverte. Il filtre l'eau qu'il avale grâce à ses **ouïes** et capture ainsi toutes sortes de proies : poissons, pieuvres et plancton.

La bouche du requin-baleine mesure 1,40 m de large. C'est assez pour avaler un enfant!

Les femelles ne pondent pas d'œufs. Elles donnent naissance à quelque 300 bébés requins à la fois.

Le corps du requin-baleine est orné d'un magnifique motif de points blancs.

Les harengs

Le hareng est un poisson important dans la **chaîne alimentaire**. Il mange des animaux et des plantes minuscules, et il sert de nourriture à des poissons plus gros, comme les thons.

Les harengs nagent en grands groupes.

Des milliers de petits harengs argentés forment des **bancs**. Le jour, ils échappent à leurs **prédateurs** en se cachant dans les eaux profondes. La nuit, l'obscurité leur permet de remonter à la surface en sécurité.

Les harengs sont recouverts de brillantes écailles qui scintillent dans la nuit.

Chaque femelle pond environ 40 000 œufs. La plupart d'entre eux seront dévorés par des prédateurs avant d'atteindre l'âge adulte.

Les épaulards chassent les harengs.

Les thons

Le corps long et élancé du thon est taillé pour la vitesse. Tandis que sa **nageoire** caudale fend l'eau, le thon replie ses autres nageoires vers l'arrière. Grâce à cela, il atteint des vitesses de 70 km/h. C'est aussi rapide qu'un cheval de course!

Il chasse de petits poissons.

Les thons vivent et chassent en grands bancs. Ils nagent souvent pendant plus de 10 000 km à travers les océans pour trouver leur nourriture.

Les poissons-lunes

Le poisson-lune, ou môle, a l'air d'un demi-poisson ! Son corps sans queue est aplati à l'arrière. De grandes nageoires, sur le dos et sous le ventre, l'aident à se maintenir en position verticale.

Les poissons-lunes ont une bouche large et ronde, parfaite pour avaler les méduses. Hélas, plusieurs meurent en ingurgitant des sacs en plastique qu'ils prennent pour des méduses flottant dans l'eau.

La bouche du poisson-lune est toujours ouverte, prête à avaler sa proie.

Le poisson-lune est un des plus gros poissons de l'océan.

Cet énorme poisson peut atteindre 4,20 m de haut et peser jusqu'à 2 000 kg : soit autant que 25 hommes !

Les poissons-lunes nagent parfois en groupes de dix.

Les méduses

La méduse n'est pas un poisson. C'est un **invertébré** : un animal dépourvu de colonne vertébrale. Le corps mou de la méduse flotte dans l'eau au gré des **courants** marins. Si une méduse s'échoue sur une plage, elle se replie en un petit amas gélatineux.

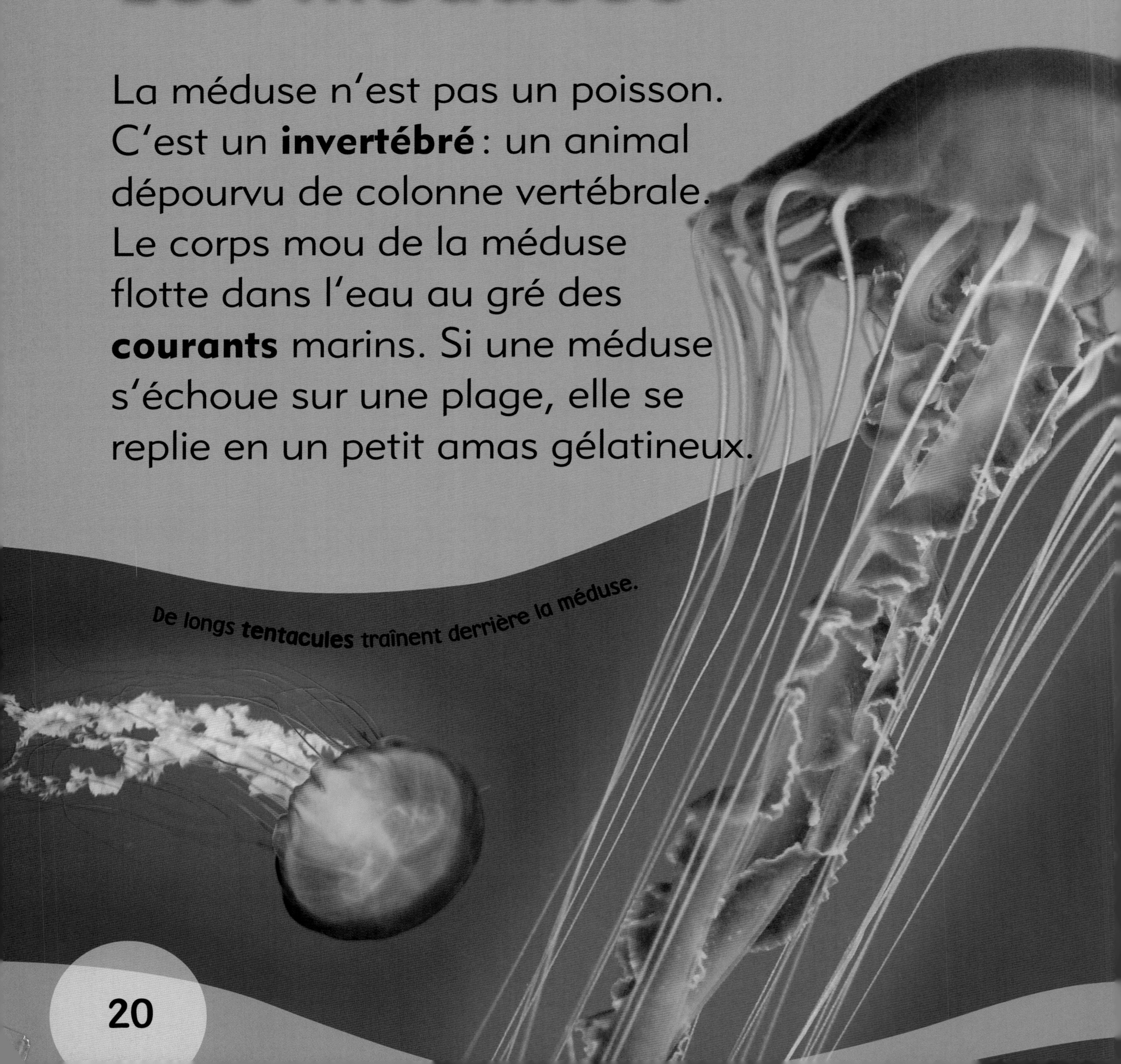

De longs **tentacules** traînent derrière la méduse.

Les tentacules des méduses sont munis de petits dards **empoisonnés**. Les piqûres de certaines méduses peuvent être mortelles pour les humains.

Glossaire

Acrobate : Capable d'effectuer des sauts, torsions ou virevoltes avec facilité.

Banc : Groupe de poissons.

Chaîne alimentaire : Plantes et animaux servant de nourriture aux autres. Par exemple, les plantes sont mangées par les poissons, les poissons sont mangés par les phoques, les phoques sont mangés par les épaulards.

Courant : Flux marin qui traverse les océans.

Écho : Bruit produit lorsque le son rebondit sur un objet.

Empoisonné : Contenant une substance qui peut blesser ou tuer.

Microscopique : Trop petit pour être vu sans un microscope.

Nageoire : Organe qui permet aux poissons de se propulser et de se diriger.

Ouïe : Ouverture dans le corps par laquelle un animal marin peut respirer sous l'eau.

Plancton : Animaux et plantes minuscules qui flottent à la surface des océans.

Prédateur : Animal qui chasse d'autres animaux.

Proie : Animal qui est chassé par d'autres animaux.

Tentacule : Organe long et effilé d'une créature marine, utilisé pour se nourrir ou s'accrocher, ou même pour piquer.

Index

Suggestions pour les enseignants et les parents

- Visitez un aquarium pour voir les poissons de près et vous renseigner sur leurs cycles de vie. Dans de plus grands parcs d'attractions, vous pourrez voir des épaulards et des dauphins.

- Visitez une poissonnerie ou un marché aux poissons pour voir les différents types de poissons en vente.

- Visitez un port de pêche et observez les pêcheurs en train de débarquer leurs prises. Vous pouvez en apprendre davantage sur les différents types de filets sur Internet.

- Renseignez-vous sur le dressage des dauphins comme auxiliaires de la marine. Ils peuvent, entre autres, donner l'alerte sur la présence de mines sous-marines.

- Dessinez le réseau de la chaîne alimentaire sous-marine. Trouvez, dans des livres ou sur Internet, qui mange qui. Par exemple, le plancton est mangé par les harengs, les harengs par les thons, les thons par les épaulards. Sur une grande feuille de papier, dessinez les croquis des animaux et reliez-les par des flèches montrant les relations de prédation. Puis coloriez les animaux.

- L'océan est menacé par la surpêche, le réchauffement planétaire et la pollution – déchets, déversements d'égouts, marées noires. Trouvez d'autres exemples dans des livres ou sur Internet.

- Encouragez les enfants à inventer des histoires amusantes ou à écrire des poèmes à propos des épaulards et de leur vie dans la mer.

- Faites une recherche sur le vocabulaire utilisé dans ce livre et sur la vie sous-marine.